KB016987

흑막 용을
키우게 되었다

I raise a black dragon

③

글·그림 ▦ 소탄

원작 ▦ 달슬

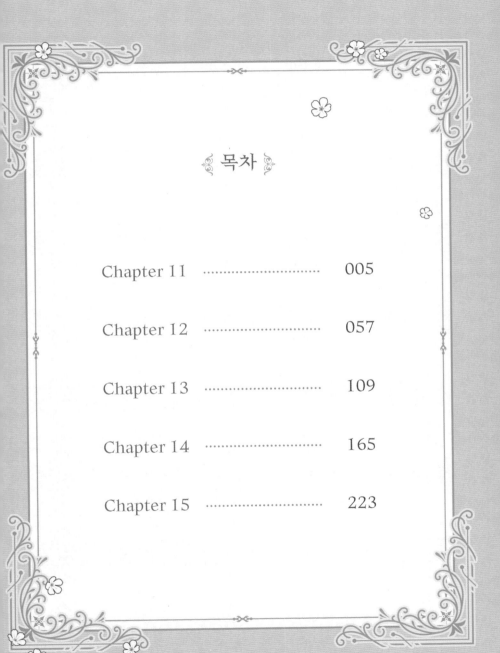

§ 목차 §

Chapter

11

절레...

헉

내가 왜 이런
생각을 했지?

죽인다니….

…협조 의사 있다고
총괄 대장님께 말씀드렸고,
얌전히 조사받으러
수도까지 찾아온 건데

제가 장관님께
이렇게 무례한 말을
계속 듣고 있어야
하나요?

두근

두근

…!
나, 남작이
먼저—

그만하게나.

그대가
트집을 잡은 건
사실이지 않나.

남작에게
예를 갖추게.

끄응

…내 말이 불쾌하게 들렸다면 사과하지요, 남작.

보기 좋은 광경이군!

남작. 황실에 협조해 주겠다는 말을 지키리라 믿네.

툭 툭

아, 네!

노아 양, 괜찮습니까?

네… 괜찮아요.

죄송해요, 곤란한 상황을 만들어서….

하마터면 사고 칠 뻔했어. 한순간이지만 사람을 죽일 생각을 하다니….

…뮤랑 좀 더 떨어져 있는 건 어떻습니까? 부탁만 하면 황성에서 잠시 맡아줄 겁니다.

…? 노아랑 떨어져요?

노아?

뮤…

미안해, 뮤. 우리 잠시만 떨어져 있자.

!!!

우… 우… 뮤는 노아랑 같이 있고 싶은데….

아직은 뮤랑
붙어 있으면
마력 조절이
잘 안 돼서 그래.

황성에 가면
사람들이 잘 돌봐줄 거야.
뮤는 사랑스러운
아이니까, 다들 뮤를
좋아할 거야.

그치만
난 노아가
좋은데….

황성에서 사고 안 치고
건강하게 잘 지내면,
본체로 또 돌아가서
놀 수 있게 해줄게.

…!

…….

그럼…
빨리 와야
해요?

흑

그럼그럼.

그래도 노아가
위험해지면,
바로 날아갈 거예요.

와,
믿음직스러운데?

참고인 신분으로 불러온 황족이나 귀족이 머무는 곳이니까요. 그래도 문은 잠글 거고, 녹화기도 돌아갑니다. 괜찮겠습니까?

와, 무슨 호텔 같아요. 조사받으러 온 사람이 이런 호화스러운 곳에 지낸다니.

침대!!!

비척

비척...

침대…
좋아…!!!

타

빠직

제 얘기
들으신 거
맞습니까?

들었어요,
괜찮아요~!

이잉 눕고 싶은데─

침대에 눕기 전엔
좀 씻고, 옷도
갈아입으십시오.

뮤는 꼬박꼬박
잠옷으로 갈아입히면서
왜 당신은 실천하지
않는 겁니까?

뮤는 아기고,
저는
어른이니까요─

질
질

질
질

……

전 잠시 다녀올
곳이 있으니
침대엔 깨끗이
씻고 누우십시오.

네에─

우선 하루라도 안정을 취하시고 그다음에—

?

엔젤릭호에서 일어났던 모든 일의 녹화 기록이다.

가서 시간대별로 편집해 놔.

네….

아실 남작의 취조는 내가 한다. 남작에게 함부로 말을 걸거나 무례하게 굴지 마.

남작을 자극해서 좋을 것이 없다.

바울, 네가 식사 제때제때 올려 보내고.

예, 당연하죠.

그 여자 성질머리만 생각하면 진짜…!

군것질거리는 너무 많이 제공하지 말도록 해.

…그리고 식사를 너무 많이 남기지 않았는지 확인하도록.

14

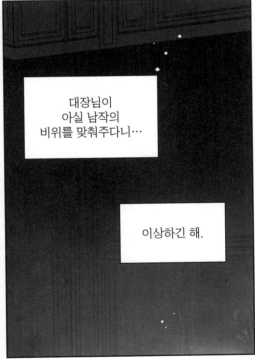

기묘하군.

배에서 이런 일이 있었단 말인가….

치익-

뭔가 큰일이 일어나고 있는 건 틀림없군.

……?

이건…?

대장…

대체 왜 이런…?

몇 번
취조실이지?

O번.
마력 차단기가
작동되는 곳.

대장 전용?

그래.

이런
무서운 곳에서
취조당해야
한다니….

지난 이틀간은
아무것도 안 하고
편하게 지내서
좋았는데.

뚜벅

뚜벅

'대장 전용'이라고
했으니까 레너드 경이
취조하는 게 맞겠지?

뚜벅

뚜벅

상대가
집사님이라면
그래도 좀
안심이야….

!!!

저 사람은…

뚜벅…

레니아…?

잠깐, 저 사람 풀려나는 거 아니죠?

남작이 신경 쓰실 일이 아닙니다.

무죄로 밝혀진 용의자가 풀려나는 것 뿐입니다.

아니, 저 사람이 알 도둑이라고요…!!!

18

뭐야, 진짜
풀려나는 거야?

레니아는 아직
날 못 봤나?
왜 아는 체도
안 하고…

레니아는 여객선에서
내리자마자
검거됐다.

그간 수도의
발테이어 저택엔
레니아가 세워 둔
대역이 그대로 있을 테니,

레니아의 알리바이가
거짓이었음이
드러나는 건
시간문제일 텐데….

!!!

!!!

놓으십시오, 남작!

무죄라니, 대체 무슨 소리예요?

그날, 분명히 저한테 말했었잖아요.

당신을 살리고 나면 제가 궁금해하는 것들, 전부 대답해주겠다고!

배에서 저한테 했던 말들은 다 뭐예요!

......

…지 않아요.

네?

기억이 나지 않아요.

레니아…?

꾸벅

남작…!

기억이 나지 않아요.
죄송해요, 남작님.

뭐야,
레니아…

날
배신한 거야?

나한테 혐의를
뒤집어씌우려고?

21

이것 봐라…

애만 자백하면 집으로 돌아가서 편히 쉴 수 있는데….

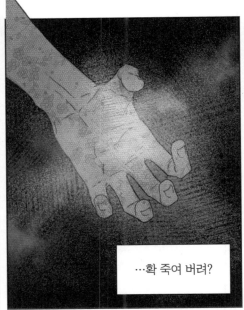

…확 죽여 버려?

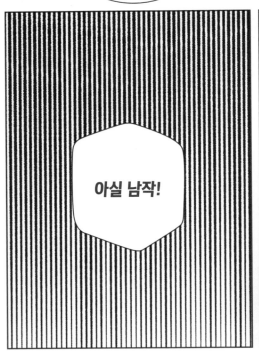

아실 남작!

스윽

…나 방금

……

무슨 생각을
했지?

…소란 피우지
않겠다고 분명 제게
약속하셨습니다.

따라오십시오.
제가 취조실로
안내하겠습니다.

방금 내가
무슨 생각을 했었는지
기억이 잘 안 난다.

뚜벅

뚜벅

뚜벅

내가 지금
정상적인 상태가
아니라는 것만은
알겠어.

취조실에 카일과
둘만 남으면
얘기해봐야겠다.

찰칵…

취조 준비
완료하였습니다.

……

앉으십시오.

녹화기…

둘만 남을 수는 없는 거구나.

둘이서만 편하게 얘기하고 싶었는데….

오늘은 알리바이 조사를 할 겁니다.

레니아 발테이어와의 관계는?

엔젤릭호에서 레니아 발테이어를 위협한 저의가 뭡니까?

네?!

모든 행동, 말 한마디까지 전부 기록되고 있으니 신중하고 성실하게 답변하십시오.

위협하다뇨, 무슨….

무서워….

발테이어 영애의 진술에 더하여 현장 검증까지 모두 마쳤습니다.

슥

당신이 발테이어 영애가 머무는 객실에 무단 침입한 것,

그녀에게 위해를 가하려 한 것까지.

진심으로 물어보는 거야?

아니면 남들에게 보여주기 위해서 물어보는 거야?

난 이런 적 없어. 카일도 알면서….

율렘과 재접촉을 시도한 이유는?

제가 뭐랑 뭘 했다고요?

에드망행 기차 테러 사건과 엔젤릭호의 마력 가동실 폭발 사건.

그 두 현장에 모두 계셨죠. 당신은 이미 율렘에 고위험 마법 도구를 유통한 전적이 있습니다.

용을 데리고 그들과 접선해서 얻는 게 뭐죠?

전 안 그랬어요!

아니, 애초에 제가…!

뮤를 훔친 것도
아닌데!

내가 훔치지
않았다는 거 알면서!
왜 내 편을
들어주지 않는 거야?

이 세계에 진짜
'나'를 아는 사람은
카일 한 명뿐인데.

적어도 당신은
내 편을 들어줘야
하는 거 아니야?

다른 사람들은 전부
나를 범죄자, 사이코로
보고 욕하더라도
카일만은…

아, 죄송.

…?

…그래서, 황성 방어벽은 중앙 마력 장치를 무력화시킨 다음 안으로 접근하셨고.

부화기에 임박한 리자베르제뉴어의 알을 꺼낸 다음 다시 나와 중앙 제어 장치를 원상 복구했고.

그 뒤 소렌트로 돌아갔다?

잠깐, 잠깐요 전 아니—

툭 툭

!

아….

공범이 있었습니까?

…공범 없어요.

단독 범행이라는 말이죠. 용을 각인한 이유는?

…귀여워서요.

율렘과 재접촉한 이유는 용의 마력을 몰래 실험해보기 위해서였습니까?

그래서 에드망으로 가려다 잡히신 거고요?

예?

귀여워서라고. 예뻐서, 내가 데리고 살고 싶어서.

왜요, 안 돼요?

…그렇게 적도록 하죠.

…네.

그, 그냥 재미로 그랬어요…. 귀여운 아기랑 같이 놀고 싶어서.

기차가 부서지고 배가 멈출 줄은 저도 몰랐어요.

전 사람을 해치려 하거나, 치안을 어지럽히려는 생각은 전혀 없었어요.

전 그냥 조용히 여생을 보내는 게 일생일대의 소원이에요….

…그럼 다시.
레니아 발테이어를
위협한 이유는?

위협할 생각
없었어요….

실수였을 뿐이에요.
용과 각인한 뒤에
마력 조절이
서툴러서 실수한
순간들이 있어요.

그게 위협으로
보였다면…
발테이어 영애에게
미안하네요.

진짜입니까?

왜 내가
하지도 않은 일을
뒤집어씌우는 거야….

레너드 경한테
생각이 있겠지만,
억울해….

…내가,

정말 죽이려고
했으면,

지금
레니아 발테이어가
멀쩡히 살아 있을 수
있겠어요?

31

……

…….

…끝났습니다.
녹취록은 바로
전송될 거고요.

달칵

녹취록 확인
완료했네.

차관과 다시
논의해보도록 하지.
우선 남작에게
재판 일정 먼저
알리게.

예.

재판 날짜가
이미 잡혔구나….

틱 틱

틱

슈우우웅…

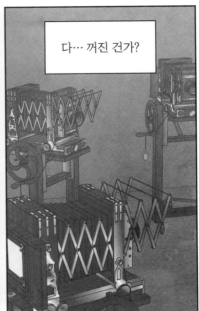

다… 꺼진 건가?

고생했습니다,
노아 양.

!

많이
놀랐습니까?

…알 바
없잖아요.

…?

안색이
창백한데.

안 창백해요.

…이제는 아무도
못 들어요?

아무도
못 듣습니다.
송출기를 전부
껐으니까.

어디 보자…

앞으로
30분 정도는
괜찮겠군요.

갑자기
끌려 내려와서
놀랐—

글썽...

……?

왜 울고
그러는…

진짜 짜증 나,
당신.

진짜, 진짜,
진짜 짜증 나.

제가
왜 이런 곳에서
이런 취급 받아야
해요?

다른 사람은
몰라도,
경이 이러시면
안 되잖아요.

이 세상에 나를
아는 사람이
딱 한 명밖에 없다는 게,
얼마나…

…….

제가
안 그랬다는 거
알면서…!

잠깐, 노아 양. 좀 진정하고….

별

떡

나갈래.

!

제 얘기 안 들을 겁니까?

경이랑 할 얘기 없어요.

노아 양…!

!

…노아 양—

슉

훌쩍

멈칫

……

…….

훌쩍

훌쩍

정말
미안합니다,
노아 양….

레니아는 어떻게 된 거예요?

그게, 일이 좀 귀찮게 됐습니다.

레니아 발테이어가 자백을 거부했습니다. 배에 있을 때부터 입도 뻥긋 않더니. 완전히 모르쇠로 일관하더군요.

테제바에 레니아의 대역이 있었잖아요. 그건 증거가 안 되나요?

테제바에 도착한 뒤 발테이어 저택부터 압수 수색했지만, 발테이어 영애는 한 달 전부터 저택을 비웠다는 대답만 돌아오더군요.

제게 보고를 올린 부하는 자기 눈으로 봤다고 했지만….

발테이어 측에선 조사관이 발테이어 영애와 하녀를 착각한 것 같다고 주장하고 있습니다.

저쪽에서 협조할 생각이 전혀 없어서, 대역이 있었던 걸 증명하기는 어려워 보입니다.

그리고 결정적으로—

레니아 발테이어,
혹은 그녀의 대역이라고
추정되는 여자는
알이 사라진 그날,

황성에
출입한 적이
없습니다.

황성을 둘러싼
방어 결계는
출입자의 신원을
인식해서 자동으로
기록합니다.

그날 황성에
출입한 모든 이들을
조사했지만,
발테이어 영애의
기록은 없었습니다.

결계를 조작하거나
피할 수는
없는 거예요?

황성을 둘러싼
결계 마법은 그렇게
호락호락한 게
아닙니다.

엘레오노라급의
천재가 나타나면
또 모를까.

윽.

지금까지 어떤 압력이 있었는지는 알 수 없습니다만… 빌테이어 영애의 진술 직후, 당신부터 구속하라는 명령이 내려왔습니다.

끙…

아마 이렇게 된 이상 당신이 무혐의로 풀려나기는 어려울 겁니다.

무고한 제가 뒤집어쓰는 거, 그게 최선인 거예요?

꼼지락

수사관이면서… 너무 무책임한 거 아니에요?

…그건 정말 미안합니다.

하지만, 당신이 가장 빠르게 이 상황을 벗어나는 방법은 이것뿐입니다.

혐의를 인정하고, 적당한 형량을 선고받는 것.

그렇지만… 징역살이라도 하면 어떡해요….

그런 일은 없을 겁니다.

!

재판은 형식에
불과할 겁니다.

용이 출현했고,
5백 년 만에
마법의 부흥기를
맞을 기회를
날리기엔 아깝겠죠.

전문가들이 예상한
당신의 형량은
일부의 재산 압류,
혹은 봉사 활동.
딱 그 정도입니다.

물론
맨입으로는 안 되고,
형식상으로나마
필요한 게 있긴 합니다.

그게 대체
뭔데요?

저, 정말요?

바, 반성문이요? 반성문을 쓰라고요? 이 종이들에다가? 전부?

예! 맞습니다!

…아니, 대체 왜 반성문을….

잘못했다, 다신 안 그러겠다, 그런 걸 쓰라고요?

예!

하...

이런 게 효과가 있긴 해요?

한두 장이면 효력이 있을 리가 없죠! 재판장님이 바보도 아니고요!

요는 천하의 엘레오노라 아실이, 많이, 입니다!

당신은 전과 15범의 극악무도한 아실 남작!

그런 남작이 반성문을 100장도 아니고, 200장도 아니고, 300장을 쓰면 사람들은―

내가
하지도 않은 일로
반성문을 써야 한다니···
그것도 300장이나···

꿍얼

꿍얼

잉잉

잉잉

300장을
무슨 말로
채워야 하는지
모르겠다구···.

노아 양.

내가 당신 형량
줄이려고 며칠 밤을
새고 있다고 했죠?

···사흘?

나흘입니다.

그럼 도움을 받는
입장으로서 어떻게
행동해야 할까요?

윽···.

쓸게요···.

하아앙···

노비스코샤 광산
집단 실종 사건.

엘레오노라 아실
살인 사건.

레니아 발테이어
뒷조사

엔젤릭호에서 생포한
율렘 소속 암살자들
칩 제거 수술 후 취조….

할 일이 정말
너무 많은데.

치이
익

후

…?

내가 취조실에 있을 땐
웬만해선 호출하지
않을 텐데….

나다.

─대장, 잠시 드릴 말씀 있는데요….

무슨 일 있나?

아니요, 그런 건 아닙니다만….

…….

아실 남작 취조 중이십니까?

무슨 일인데.

…아, 아닙니다. 급한 일은 아니니 조금 뒤에 보고드리겠습니다.

방해해서 죄송합니다.

……

…일단,
알겠다.

잠시 올라가
보는 게
좋겠습니다.

갈 거예요?

예. 무슨 일이
있는지
확인만―

…그럼,
빨리 하십시오.

!!!

사각

사각

다른 사람은
몰라도,
경이 이러시면
안 되잖아요.

이 세상에 나를
아는 사람이
딱 한 명밖에 없다는 게,
얼마나….

본의 아니게
상처를 줬다.

그녀 말마따나
이 세상에 이 여자가
엘레오노라 아실이 아닌
박노아라는 걸 아는 건
나 한 명뿐….

이렇게 가만히
입 다물고 있는 걸 보면,
정말 영락없는
엘레오노라 아실인데.

…….

샤각

샤각

노아 양. 당신,
원래는 어떻게
생겼습니까?

저요? 그냥
평범했는데…

원래는 갈색
머리였어요.

옛날에 살던 곳
사람들은 보통 검은
였는데, 머리 색이
좀 특이했죠.

지금이랑 비교하면
특이하다고 말하긴
어렵겠지만…

그럼
눈동자 색은?

눈동자도
갈색이었어요.

원래 몸으로
돌아가면 좋을 텐데.
그럼 이런 개고생 안 해도
될 거 아니에요.

그렇죠.
원래 몸으로
돌아가면…

……

돌아가면?

……

53

돌아가면 뭘 어쩌겠다는 건지.

실제로 일어날 가능성도 없는 일이다.

후아암

오늘치 끝!

이제 가도 돼요!

…네, 가죠. 수고 많았습니다.

오늘은 이제 계속 누워 있을 거예요.

침대엔 씻고 누우십시오.

네—

찰칵…

Chapter

12

대체 이 둘은 **무슨** 대화를 하고 있는 거지?

온통 의문투성이다. 당장 대장에게 무슨 일이 벌어지고 있는 건지 묻고 싶다만…

지금은 재판이 코앞이라 대장님과 대면할 시간이 없다.

우선은 함구하자.

아실 남작의 재판이 끝난 뒤에 대장을 만나서 모든 걸 물어봐야지.

똑똑

예, 나갑니다!

벌떡

툭

찰칵

예,
들어오십시오.

……!

장관님…?!

오랜만이네요,
파니!

어, 어쩐 일로….

아, 다름이 아니라.

지난번의 에드망행 기차 테러 건에서 우리 쪽이 관련돼 있다는 정황이 발견됐다고 해서요.

기밀이라길래 직접 왔어요. 워낙 민감한 사안이니까.

근데 총괄 대장은 지금 없는 모양이네요?

대장께서는 현재 취조 중이십니다.

두리번

취조 중에는 호출하지 않는 게 불문율이라, 조금 대기하셔야 합니다.

그래요….

얼마나 걸리는지 알아봐 줄 수 있나요?

예, 취조실 쪽에 연락해보겠습니다.

뚜르르….

달칵

아, 난데.

…….

슥

찰칵

달칵

슥

달칵

장관님,
취조실 쪽에
확인해봤는데요.

오늘은
아무래도 어려울 것
같습니다.

정말
죄송합니다.

아, 그렇군요.

뭐…
연락 없이 온
제 잘못이죠.

하하

내일이
재판인가요?
모레쯤 다시 오면
되려나.

예. 그렇게
보고하겠습니다.

부웅

탁

—당신은
외운 대로만
하면 됩니다.

재판엔 30분 정도 소요될 겁니다. 길지 않은 시간이죠.

당신은 정해진 말만 하면 되는 형식적인 재판입니다.

화가 난다고 무턱대고 마법을 써선 안 됩니다.

당신은 지금 힘을 제어하는 게 서툰 상태이니, 침착함을 유지하는 것에 집중하십시오.

잠시 뒤 재판을 시작하겠습니다.

지정된 자리에 착석해주십시오.

노아!

뮤!

뮤…
건강했구나.

응?

사람들
머리카락이 하나같이
꼬불거리는 것
같…

……

죄송…

으아악

모두
착석해주십시오.

재판을
시작하겠습니다.

전임 수사관,
카일 레너드 경.

심문을
시작하십시오.

엘레오노라
아실.

리자베르제뉴어의
알을 훔쳐 용을 각인한
장본인이 맞습니까?

네.

율렘과 재접촉을
시도한 이유는
용의 마력을 실험해
보기 위해서,
맞습니까?

네.

에드망행 6478a호
기차와 엔젤릭호의
율렘 테러 사건이
본인과 관계 있습니까?

아니요.
율렘 측에서
용을 노리고 먼저
저를 공격했고,

그 시점에서
율렘과 한 계약은
무효가 됐습니다.

이걸로 내 대사는
거의 끝났어….
마지막에 제국에
충성하겠다는
말만 하면 된다.

빨리 뮤랑
소렌트로
돌아가고 싶다….

정말 쉽네.

…해서,
본인은 피고인에게
징역 5년과 이후의
사회봉사 1,000시간을
구형하는 바입니다.

피고인,
마지막으로 할 말이
있습니까?

이번 일을 계기로
정말 깊이 반성하고
있습니다.

앞으로는
로랑 제국에—

누구지…?

레너드 경도
무슨 일인지
모르는 눈친데….

이게 대체
무슨 일인가.

그게….

레너드 경 쪽에도
뭔가
설명하고 있어….

뭐야? 대체 무슨
일이 벌어지고
있는 거야?

증인의 참석을 허락합니다.

증인…?

뚜벅

…아,

스토커 자식…!!!

쟤, 쟤가
어떻게—

정숙하십시오.

존경하는
재판장님.

로랑의
모든 마법사는
제 관리하에
있습니다.

지금까지는
엘레오노라 아실의
천부적인 마법적 재능에
큰 의의를 두고 그녀를
변호해왔습니다만,

이번엔
민간인의 안전까지
위협하였습니다.

대체 일이 어떻게
되어가고 있는 거지?

용의 부화와 각인이
중대사라는 것도
인지한 채로,
호기심이라는 명목하에
용의 알을 훔쳤습니다.

저는 5월 2일경부터
7일까지 약 닷새간
엘레오노라 아실을
곁에서 관찰했습니다.

어째서
저 스토커가….

현재 엘레오노라
아실은 용의 마력을
제대로 다룰 수 없는
상태가 확실합니다.

지난 2년간 소렌트에
칩거하며 그의 마법적
능력에 문제가
생겼나 봅니다.

왜 지금 나타나서는
이렇게 나를 방해하고….

어째서

왜 일이
이렇게…

하여 용의 알을 훔쳐
능력을 보완해보려
한 듯한데…

뜻대로 되지 않은
모양이지요.

…아,

노···,

아실 남작!

절
레

뮤…!

뮤, 안 돼!

이리 와!

다다다 다다다

포

옥

웅성 웅성

정숙, 정숙!

딱

용에게
이지를 먹히기
직전이네.

파

앗

재판장님, 엘레오노라 아실에게 대마물용 구속구를 채우는 걸 허락해 주십시오.

......

...허락하겠네.

'대마물용 구속구…?'

콰

앙

찰

칵

!!!!!!

재판장님. 보시다시피 저자는 용의 힘을 못 다룰 뿐만 아니라 이성을 유지하는 것조차 어려운 상태입니다.

피고인 엘레오노라 아실에게 대마물용 구속구를 채우는 것,

사회봉사 20만 시간의 구형을 청원하며,

하지만 용의 마력이 로랑의 부흥기에 일조하리란 사실, 현 용의 주인인 엘레오노라 아실의 가치를 참작하여—

제게 피고를 특별 관리할 수 있는 권한을 주실 것을 요청하는 바입니다.

20만 시간…?

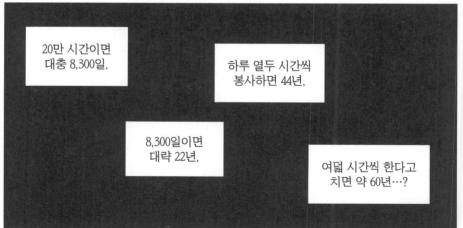

20만 시간이면 대충 8,300일,

하루 열두 시간씩 봉사하면 44년,

8,300일이면 대략 22년,

여덟 시간씩 한다고 치면 약 60년…?

친애하는
재판장님,

부디 판결을!

......

......

뚜벅…

……

목걸이가 참
잘 어울리네,
엘리?

오늘 정말
재미있었어,

널 관리할 권한을
받지 못한 건
아쉽지만….

재판장님,
제게 주십시오.

……!

오늘 이후
엘레오노라 아싈
특별 관리 권한…

제게 주십시오.

제 이름, 지위, 명예, 모든 걸 걸고 로랑에 위협을 끼치지 않도록 보호하겠습니다.

원래 제 전담이었으니, 이후 아실 남작에 관한 모든 사건의 책임도 제가 지겠습니다.

……

…경이 그렇게 떳떳하실 때가 아닐 텐데?

무슨 말씀이신지 모르겠습니다, 장관님.

하…?

수사관이 범죄자랑 놀아나는 걸 로랑 국민들이 어떻게 받아들일지…

저는 잘 모르겠네요?

수사관과 범죄자가 …뭐요?

야, 스토커.

내가 이따위 목걸이 하나 못 부술 것 같아?

있지, 엘리? 나도 생각이 있었거든? 들어봐.

내가 널 엿 먹이려고 이런 짓을 한 걸로 아나 본데,

그렇지만도 않거든?

…그럼 뭔데.

너, 네가 위험한 상태인 건 스스로도 느끼고 있지?

네가 요즘 느끼는 악의들… 그게 용 때문이라고는 생각 안 해봤어?

네 용이 귀여운 모습을 하고 있긴 한데.

그렇다고 정말 귀여운 인간 아이일 거라고 생각하면 안 되지.

…….

그냥 힘을 좀 조절 못 한다, 그게 아닌 거 알잖아?

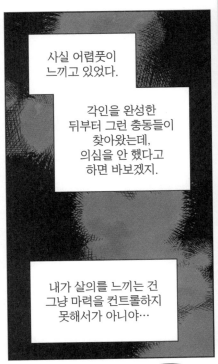

사실 어렴풋이
느끼고 있었다.

각인을 완성한
뒤부터 그런 충동들이
찾아왔는데,
의심을 안 했다고
하면 바보겠지.

내가 살의를 느끼는 건
그냥 마력을 컨트롤하지
못해서가 아니야…

뮤가
사람들을
죽이고
싶어 해서다.

마력
컨트롤도 못 해,
본인 이성도
못 지켜,

그렇다고 용을
교화시킨 것도
아니고….

그러니까 내가
도와주겠다는
거야.

이 구속구는
용에게서 너를
지켜줄 거야.

물론 용의 힘을
가진 네가 의지만 있다면
구속구따윈
쉽게 부술 수 있겠지.

근데 그게
너와 용에게
옳은 일일까?

어차피 테제바에 오면 용의 마력을 컨트롤하는 법을 배우기로 했잖아.

나한테 마법 배워.

......

네가 용에게 잡아먹히지 않을 만큼 실력이 늘었다고 판단되면 풀어줄게.

···나한테 왜 이런 제안을 해?

글쎄··· 마법사로서 용한테 큰 관심이 있어서··· 라는 이유도 있지만,

역시 사랑하니까?

농담할 기분 아니야.

···사람 참 서운하게 하네, 정말.

달칵

…노아 양,
집으로 데려다줄
차량이
대기 중입니다.

……

폭…

…노아 양?

슥

……

노아,
미안해요….

뮤가…
말썽 부려서….

훌쩍

훌쩍

그래서 노아가
벌 받아서….

뮤….

아니야,
뮤….

재판장을 부순 건
하면 안 되는 행동이
맞지만,

뮤는 나를
지켜주려
했던 거잖아.

그리고 내가
벌을 받은 건
뮤 때문이 아니고,

그 누렁이가
재판에 난입했기
때문이야.

후후

후후후

맞습니다.

아마도 그자가
사전에 손을 써둔
모양입니다.

저도 제 선에서
이런 일이 생기지
않도록 주의를
기울였습니다만….

제 불찰입니다.
미안합니다,
노아 양.

그자는 당신의 불안정한 상태를 알고 있었습니다.

아마 당신과 뮤를 흥분시켜 재판장에 혼란을 주는 것도 그자의 목적이었겠지요.

그러니 너무 자책하지 않아도 됩니다.

헤헤….

그렇게 말해주니 고맙네요.

레너드 경은 자책하지 말라고 말했지만

내 잘못이 없는 건 아니야.

나름대로 뮤를 잘 가르치고 있다고 생각했는데 역부족이었어….

레너드 경, 많이 바쁘신 거 알고 있지만

수사 보안국이나 황성에 가실 때 뮤를 견학시켜 주실 수 없을까요?

인간 사회의 규범이나 도덕을 직접 보여주면 뮤도 이해하기 쉽지 않을까 싶어서요.

경한테 떠넘기는 것 같아서 죄송하지만….

그러죠.

저도 지난 며칠간 교육의 필요성을 느꼈습니다.

뮤가 폐하의 집무실을 초토화하고, 황성 이곳저곳을 파괴했거든요.

하하하….

까아아악

응접실이…!!!

당신이 말해둔 덕분인지 사람을 해치지는 않았지만.

그나마 제 말을 들어서 다행이었습니다.

아.

엘레오노라의
저택이다.

와—
정원, 현관 전부
제가 떠났을 때랑
변함이 없네요.

뚜벅

뚜벅

위잉-

E. A. - Master

K. L. - Unwelcome

UNKNOWN

불청객,
카일 레너드,
수사 보안국
총괄 대장이
방문하였습니다.

신원 확인 불가
인물이
방문하였습니다.

출입을
허가하시겠습니까?

불청객이시네요,
경.

?

하....

이 집의 장치들은
늘 불쾌감을
주는군요.

그럼, 노아 양.
오늘은 고생했으니
푹 쉬시고….

네?
가시게요?

저녁이라도
드시고 가세요.

집에 아무도 없어서
모처럼 편하게
얘기할 수 있는데….

…노아 양.
시간이
늦었습니다.

혼자
사는 집에 남성을
들이는 건….

예?
갈 겁니다만….

한 시간만요.

저녁 안 먹어도
되니까….
바빠서 그래요?

．．．．．．

―다른 사람은
몰라도,
경이 이러시면
안 되잖아요.

이 세상에 나를
아는 사람이
딱 한 명밖에
없다는 게,

얼마나….

…그럼 8시까지
있도록 하죠.
짐 정리하는 데
30분,

씻고 환복하는
데에 30분
드리겠습니다.

와~!

레너드 경?

둘 다 없네.

어디 있지?

노아를 너무 놀라게 하지 마라.

하지만 노아가 사흘이 지났는데도 안 오니까….

참을성을 좀 기르는 게 좋겠다, 뮤.

치.

다 씻었습니까? 들어가시죠.

아, 네에….

식사하십시오.

와아—

저녁 해 달라는 건 아니었는데.

헤헷

그냥 했습니다.

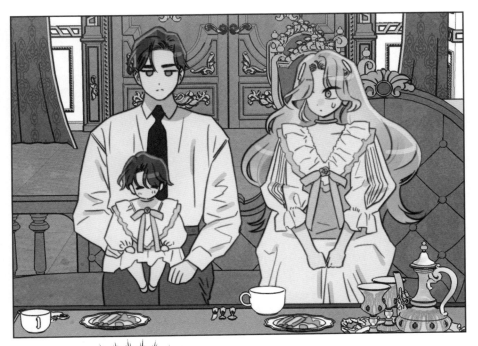

당연히 맞은편에 앉을 줄 알았는데 옆에…?

왜… 왜요?

신경 쓰지 말고 드십시오.

이제 30분 남았습니다.

냠

씻고 나와보니 따뜻한 음식이 차려져 있다니.

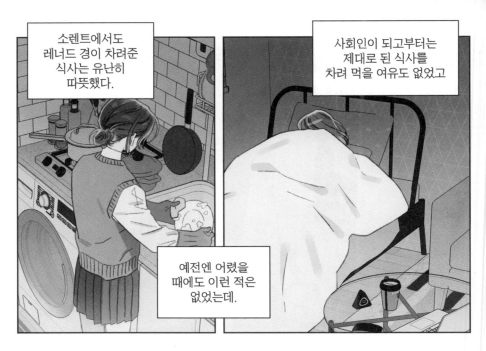

소렌트에서도 레너드 경이 차려준 식사는 유난히 따뜻했다.

사회인이 되고부터는 제대로 된 식사를 차려 먹을 여유도 없었고

예전엔 어렸을 때에도 이런 적은 없었는데.

챙겨줄 사람도 없는 게 당연했으니까….

닭갈비용 치킨마요

PARIS

PAR

힐끔

경, 그냥 저랑 살아요.

제가 수사관 연봉의 두 배 드릴게요.

그 꿈은 아직도 못 버리신 겁니까.

후에엥

그럼 요리라도 가르쳐주세요. 이거 또 먹고 싶어요.

혼자 해 먹겠다고요? 퍽이나.

긁적

할 수도 있죠, 이제 수도에 있으니까 장보기도 쉽고….

노아 양.
상처가 덧나니까
만지지 마십시오.

계속
식사하십시오.
약 가져오겠습니다.

약 상자는
어디에
있습니까?

상처요?

침대 옆에
있었던 것 같아요.

노아 다쳤어요?
아파요?

약간
따끔거리는데,
괜찮아.

…제가 혼내줄까요?

화르륵

아냐! 아냐. 폭력은 안 되는 거 알지?

…뭐 하고 있는 겁니까?

약 발라드리겠습니다. 머리카락 좀….

아, 네.

목 뒤에도 상처가 꽤 많이 났네요.

간지러워도 긁거나 만지지 않는 게 좋겠습니다.

…?

별컥

꺄아아

별컥

별컥

?

와

다 됐습니다.
마저 식사하셔도
됩니다.

…노아 양??

아아아
수프가 정말
맛있네요…!!!

별것도 아닌 걸로
나만 설레고
바보 같아…!!!

악

찌잉…

이렇게 맛있게
먹어줄 줄이야….

감동

요새 남자가
너무 없었다,
남자가…!

Chapter

13

지난 20일,
엘레오노라 아실 남작은
리자베르제뉴어의 알
절도 혐의로 재판장에
섰다….

남작은 혐의를
일부 인정하였으며,

사회봉사 20만 시간,
10만 파운드의 보석형을
선고받았다.

전임 수사관이자 검사로
참석한 카일 레너드에게
엘레오노라 아실
특별 관리 권한이 주어졌고—

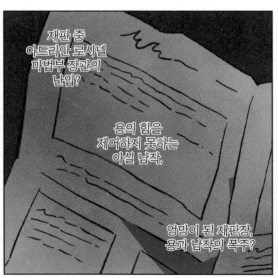

재판 중
아드리안 로시넬
마법부 장관의
난입?

용의 힘을
제어하지 못하는
아실 남작.

엉망이 된 재판장.
용과 남작의 폭주?

아실 남작은
매주 아드리안 로시넬
마법부 장관에게
특별 지도, 관리 및 감독을
받을 예정이다.

엘리, 너 기억을 잃었다더니, 정말 바보가 됐구나.

푸쉬이이

대체 그 작은 머리통으로 뭘 생각하고 있길래 자꾸 공격 마법만 튀어나오는 거야?

네 얼굴을 보니깐 짜증이 나서 그런가 보지.

무슨 소리야. 내 살아생전 그런 얘기는 처음 들어봐.

신경 거슬리게 하지 마. 나도 모르게 네 면상을 박살 낼지도 몰라.

구속구 찬 뒤로는 마력을 보지도 못하면서 허세는.

남작님 성격이 많이 죽었네….

마법부의 보안 담당자
K & J & M

마법부 직원들한테
횡포를 부리지도
않고,

수업 때
부서진 곳도 다
복구해주시고.

이미지
관리인가?

그러니까.

이왕 부수시는 거
우리 사무실 좀
부숴 주셨으면
좋았을 텐데.

지난 재판 때는
반성문을
제출했다더니,

무슨 바람이
불어서 저래?

…….

정치적인
의도겠지. 대중과
언론의 시선도
신경 써야 할 테니.

…….
내 생각엔,

사랑…

때문이야….

뭐어…?

또
그 얘기야?

…들어봐.

장관님과 아실 남작은 연인 사이셨지.

남작님이 사고 칠 때마다 장관님은 티 나게 남작님의 편을 들었고.

덕분에 장관님은 대중한테 욕도 많이 먹었지.

그럼에도 불구하고 꽤 오랫동안 교제하셨잖아.

사랑이 깊으셨던 거지….

하지만 아실 남작의 제멋대로인 언행으로 사건 사고는 끊이지 않았고,

더이상 참을 수 없게 된 장관님은 남작님과 황성 앞에서 소리 질러가며 싸우다 헤어졌다….

이거 내레이션이야?

장관님과의 결별 후 아실 남작은 생전 처음 어떤 감정을 느낀다.

공허감.

자신이 가진 막대한 재산으로도 그의 돌아서 버린 마음은 되돌릴 수가 없다….

아실 남작은 소렌트에서 은둔 생활을 하며 후회하고, 또 후회한다.

신이시여, 제게 그의 마음을 되돌릴 기회를 주세요.

그의 마음만 되돌릴 수 있다면 무엇이든 하겠습니다!

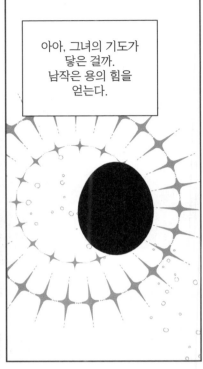

아아, 그녀의 기도가 닿은 걸까. 남작은 용의 힘을 얻는다.

비록 재판장에서 재회한 그의 태도는 차가웠지만,

그녀는 그의 앞에서 속죄하고, 또 속죄한다….

달라진 그녀의 태도에 로시넬 장관의 마음도 움직이려 하는데….

과연 두 사람의 운명은…?

…이라는
내용의 소설을
구상 중이야.

하아

하아

다 지어낸
거였냐고!!!

네 망상으로
일곱 컷이나
낭비됐잖아!

후회녀에게
흔들리는 순정남,
같은 걸 써 보고
싶었다…랄까.

중얼
중얼

우오 오옷

샌샹 같은
순정남에게 녹아 버린
먼치킨 무심녀,
…같은 느낌이랄까.

중얼

이제
그만 얘기해!

너 전에 쓰던
힘없는 백작 영애의
성장물은 어쩌고?

척

그건 그냥
대충 마무리
지을 거야.

질렸어.

그래…
들키지 않도록 조심해.
실존 인물을 모델로 그런
소설 쓰는 거 걸리면
진짜 고소감이야.

물론이지.

마력이란
무엇인가.

마력은 이 차원
전체를 아우르는
고밀도의 힘이다.

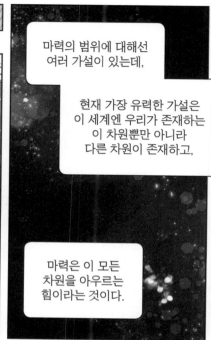

마력의 범위에 대해선
여러 가설이 있는데,

현재 가장 유력한 가설은
이 세계엔 우리가 존재하는
이 차원뿐만 아니라
다른 차원이 존재하고,

마력은 이 모든
차원을 아우르는
힘이라는 것이다.

많은 연구자들은
다른 차원의 존재인
용의 힘이 마력에서
기원하는 것을
근거로 이런 주장을
펼치고 있다.

용의 힘은 우리 세계의
마력보다 순수하고
밀도가 높다.

이를 근거로
각각의 차원에는 단지
정도의 차이가 있을 뿐,
어디에나 마력이
존재한다고 여겨진다.

고대, 용들이
이곳 '무이트'로
넘어오기 시작하며
우리 인간의 땅에도
마력이 풍부해지기
시작했다.

그땐 지금보다
많은 인간들이 마법을
사용할 수 있었으며

순수 마법이
성행했다.

하지만 용들이
우리의 차원에
흥미를 잃고, 하나둘씩
무이트를 떠났다.

용들이 떠나자
무이트에 깃든 마력은
눈에 띄게 줄어들었다.

그렇게 초현실적인
힘이 저물고,

그 공백을
인간의 지성이
때꾸기
시작한다.

텔레포트 마법
대신 철도가
들어서고,

공격 마법 대신
화약의 품질과
총기가 발전했으며

치료 마법 대신
의학이 발전했다.

내가 살던
21세기엔
못 미치지만.

그래서 나의 이 넘치는 마력을 제어하는 방법을 배울 만한 사람은

현재로선 아드리안이 유일하다…

엘리, 일어나.

한 번 더 해보기로 했잖아.

라는 말인가?

못 하겠어~~ 쉴래~

그만하고 집에 갈래~~

잉

잉

잉

잉

……

…그럼 얼마나 더 쉴 건데.

연습하긴 해야 돼. 며칠간 같이 해봤는데 진전이 별로 없잖아.

…한 시간?

30분.

와아~~~

힐끔

이 녀석 재판장에선
뺀질거리고
센 척하더니,
보다 보니 나한테
꽤 무르다.

카일 레너드였으면
일으켜서 당장
하게 만들었을 텐데.

…너 다른 놈
생각했지.

아니?

어떻게 알았지?

했잖아.

했지,
누구야?

카일 레너드?

윽

귀신
같은 놈!

하긴
아무리 생각해도
지금 이 반응이
정상이야.

카일 레너드가
이상한 거지.

이렇게 미인이
눈앞에 있는데
누그러지는 게
당연한 반응이야.

사실 내 몸도
아니지만.

적어도 나만
당황하고 허둥대는 건
이상해!

자존심 상해….

난 네가 궁금해.

스윽

아아…
부담스럽다.

미안하지만

나는 네가 좋아하는
그 여자가 아니란다,
이 바보야.

아무래도 아드리안이 수상해요.

예?

아드리안이 수상하다고요.

노아 양...

거기서 그렇게 말씀하시면 안 들립니다.

빠직

······.

앗.

아앗.

요즘 왜 이렇게
피하십니까?

제
착각입니까?

그럼…
그렇겠죠…?

제가 뭐
잘못했습니까?

아… 아니요.
딱히 그런 건….

그럼 어디
아픕니까?

말짱해요.

…그럼 이만
가겠습니다.

…!

절 불편해하시는
것 같으니,
전달 사항은 나중에
문서로 주십시오.

뮤, 가자.

내일 밤엔
수사 건으로
동행할 곳이 있으니
저녁 시간을
비워 두십시오.

……

…….

달칵

꼬옥

…네 앞에서
다퉈서 미안하다,
뮤.

내일 또 노아를
만날 수 있으니까
오늘은 이만….

노아는
아저씨가 가는 거
싫어요.

뭐?

내가 가는 걸
싫어한다는
말이야?

응! 네!

그렇지만
네 주인은
오늘 하루 종일
날 피하던걸.

하…

아저씨가
가까이 오면 노아는
곤란해져요.

그치만
아저씨가 가버리면
싫어요.

내일
사과할까….

가까이 가는 건
곤란하고, 가버리는 건
싫다, 라….

화를 낼
수가 없군.

렌디아 지구
수사 보안국 별관

자, 이쪽으로
오십시오.

왜 굳이
렌디아 지구까지
부른 거예요?

이쪽이 본부보다
시선이 덜 쏠리고,
건물도 신식이라
보안이 더 철저합니다.

증인과 증거물은
전부 이곳 2층에서
관리하고 있습니다.

뮤는 카일의 부하가
놀아 주는 중

달칵

자, 노아 양.

이걸
보여드리려고
부른 겁니다.

오싹

로봇… 같은 건가?
꽤 대단한
기술이잖아….

이런 기계랑
싸웠던 거예요?

그렇죠.

이렇게
변하기 전까지는
사람의 형태였지만.

깜짝

속

그곳에서
다섯 명을 상대했고,
한 명을 제외한
나머지는 전부 이렇게
부서졌습니다.

그리고
이것들의 귀에
해당하는
부분의 뒤쪽에는….

소문자 r…?

이들이 인간의 형태를 띠고 있을 때에도,

똑같은 문양이 귀 뒤에 새겨져 있었습니다.

이게 무슨 의미인지는 아직 모르겠지만요.

배에서 상대한 다섯 명 중, 유일하게 진짜 사람이었던 자를 운 좋게 생포하여 심문했습니다만…

그자도 이 글자가 무엇을 뜻하는지는 모른다고 주장하더군요.

살아 있는 사람이 있었군요….

예. 확인해본 결과, 그자의 귀 뒤에는 대문자 R이 새겨져 있었습니다.

대문자와 소문자는 진짜 인간과 가짜 인간…

즉, 본체와 복제품이라는 의미가 아닐까 예측 중입니다.

이것이 그자를 심문한 녹취록입니다.

그 기계의
출처는…
……

나도 몰라.

어딘가에
공장이 있다는
얘기만 들었는데
…….

공장…. 저런 게
대량 생산된다는
뜻인가.

이다음 부분도
들어보십시오.

마법부….
그것밖에
몰라.

모든 건 상부에서
정하고, 나 같은
말단이 수행을….

상부에서 하는
말을 듣기엔…
꽤나 거물이라는 것
같던데….

133

상부라는 게 율렘 수뇌부를 뜻하는 거예요?

아마도요.

중요한 건 '마법부의 거물'이라는 키워드입니다.

마법부의 거물?

마법부는 본래 구조적으로 크게 서열화되어 있지 않습니다.

현재 차관 자리는 공석이며,

마법부의 각 하위 부서를 담당하는 이들의 권한도 수보국에 비하면 터무니없이 작죠.

장관에게 모든 결정 권한이 집중된 구조입니다.

심지어 그 규모가 매해 작아지고 있어서 아드리안 로시넬 같은 청년이 장관직을 맡을 수 있었죠.

즉, 율렘이 '거물'이라고 표현할 만한 인물은 아드리안 로시넬.

단 한 사람 뿐입니다.

아드리안이
…….

용의 힘을 가진
엘레오노라를
노린 걸까요?

그럴지도요.
사건이 어디까지
이어져 있을진
모르겠지만,

아실 남작
살인 사건도
잊어서는 안 됩니다.

그리고
아드리안 로시넬이
남작 살인 사건과도
관련이 있다면…

당신이 진짜
엘레오노라가
아니라는 것 역시
알고 있을지도
모릅니다.

에, 엘레오노라 아실
포획 작전이었어…

그 여자를
율렌에서
암살한다니.
말이 안 되잖아….

기차 테러범들의
진술에 따르면,
그들이 받은 명령은
아실 남작 '살해'가
아니라,

'포획'
이었으니까.

아드리안은 내가
엘레오노라가
아닌 걸 알고 있을
수도 있다… 라니.

아.

내가 어떻게
알아?

웬 딴사람이
엘레오노라를
쫓아내고

대신 그 몸에
들어앉은 건지.

일단 이자의 심문을 마친 뒤 아드리안 로시넬을 집중적으로 수사할 예정입니다.

물론 이 모든 수사는 은밀히 진행될 겁니다.

지난 재판 때처럼 장관이 어디까지 손을 써놨는지 모르는 상황이니까요.

난 네가 궁금해.

저도 제 선에서 알아볼 수 있는 게 있다면 알아내 볼게요.

매주 그 녀석이랑 수업 시간도 가지고 있으니까….

알아낸 게 있으면 말씀드릴게요.

…너무 무리하진 마십시오.

저는 곧 노비스코샤로 출장을 갑니다.

그동안 노아 양을 수도에 혼자 남겨 두게 되죠.

네? 출장이요?

그동안 무슨 일이 생기면 제가 도와드릴 수가 없습니다.

각별히 조심하는 게 좋겠습니다.

그렇군요…

출장이라니….

노비스코샤는… 북동부 지방이었던가요?

이런 시기에 갑자기 출장은 왜….

배에서 확보한 기계 인간을 해체해 생산지를 감별해보니,

노비스코샤 광산 중 한 곳에서 나는 마광석이 포함되어 있었습니다.

광산에서 나는 광물 중에서도 마광석은 특히 귀합니다.

그래서 국내에서 채취된 마광석은 마법부에서 직접 유통 기록을 검토하죠.

당연히 지금까지 마법부 측의 기록엔 마광석으로 이런 기계 인간을 만들었다는 기록은 존재하지 않았고요.

아, 그럼 마광석이 불법으로 유통되고 있다는…?

그럴 수도 있죠. 우리가 미처 확인하지 못한 유통 경로가 있는지 수색해볼 예정입니다.

…….

…유.

노아 양은…

만지작

화가… 났나?

하아…

네.

노아가 화낼 줄
알았으면 내가
진작 말했을 텐데.

아저씨 아픈 게
비밀인 줄
몰라서 말하지
않았거든요.

노아는
아저씨가 다치는 게
무서운가 봐요.

타박

레너드 경.

제가 다치고 아프면 경이 돌봐주고 도와주는 것처럼,

경이 다치면 저도 도와드리고 돌봐드릴 수 있어요.

아주 큰 도움은 못 되어도…

조금은 믿음이 되고 싶었는데….

제가 그렇게 못 미더웠다니 속상하고…

또 경이 저한테 문제를 숨길까 봐 걱정돼요….

노아 양….

미안합니다, 앞으로는…

벗어보세요.

예?

벗어
보시라고요.

상처를
봐야겠어요.

툭

툭

…!

거즈 때문에
보이진 않지만

상처가 꽤
큰 것 같아….

팍!!

에드망 지부로의
파견이네,
레너드 경.

예…?

에드망으로
파견이라니요?

갑자기 왜….

이유는
여기 있으니
직접 확인하게나.

툭

변명할 게
있으면 해보게.

수사 보안국 총괄 대장과
전과 16범의 마녀,

수년에 걸친
추격전의 끝은
사랑?

이건 명백한
좌천이다.

이런 시기에
대체 왜…

이건… 기사의
초고인가?

이게 대체…

익명의 제보자에게
제보를 받아 기사가
작성되었다는군.

자네와 아실 남작의
대화가 담긴
녹취록을 토대로
작성한 기사라고 하네.

녹취록?

질레
질레
질레

전 아니에요,
대장!!!

신문사 측에서
협조를 해 조간신문에
실리는 건 막았네.

자네는 당분간
에드망에서
머리 좀 식혀.

하지만,
노비스코샤 건이
급한 상황입니다.

그만, 그만.

철칵

노비스코샤 사건과
렌디아 치안대 사건은
인수인계하도록 해.

당분간은
수도로
돌아오지 마.

페넬로페.
자료 관리를 대체
어떻게 한 거지?

이번 사건의 모든
자료는 기밀이라고
미리 말해두지
않았었나.

**저는 맹세코
아닙니다, 대장!**

제가… 녹취록에서
남작님과 대장의
대화 내용을 딴 것은
맞습니다.

대화 내용이…
이상했기 때문이죠.

하지만 맹세코,
모든 자료는 보관함에
넣어 잠가두었습니다.

잠깐 자리를
비울 때에도
무조건이요…!

마법부 장관님이
잠시 다녀가셨을
때에도,

그 뒤
롤린느 자작이
방문했을 때에도
분명히—

!

누가
다녀갔었다고?

예?

아…

롤린느
자작이—

말고,

그전에!

엘리…

용은 어디에
두고 온 거야?

뮤는
지금 정원에서
놀고 있어.

…오늘은
정신 일체화를
막는 연습을 할 거라고
미리 말했잖아.

너 그냥
수업받기가
싫은 거지?

들켰네.

엘리.
나 다음 주에
출장 가.

그때까지
공부고 연습이고
아무것도 안
할 거야?

너 그 구속구
언제까지
하고 있을 거야?

출장?

응. 출장.

그동안 나는
자유인 건가?

그동안 이 녀석
연구실이나 몰래
뒤져볼까…

너무 기대하지 마.
그동안 넌 봉사활동을
하게 될 테니까.

으.

그러니까 지금 용을 데려오는 게 좋지 않겠어? 엘리?

네에 네에—

봉사활동 기록은 어떻게 좀 위조할 수 없나?

흠….

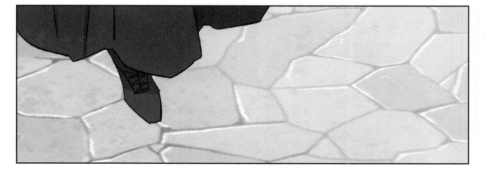

......

......

레니아.

안녕하세요,
남작님.

역시…

지난번엔 레니아가
그냥 나를 엿 먹이려고
모르는 척하는 줄
알았는데

표정도 없고,
행동도 이상하다.

배에서 봤던
레니아랑은 달라….

153

덥썩

레니아.

여긴 우리 둘밖에 없어요.

솔직하게 말해봐요. 혹시 누군가에게 협박당하고 있나요?

......

저는 아무것도 몰라요, 남작님.

말하지 못하는 상황인 건가요?

말하는 게 어렵다면 신호나 힌트라도 괜찮아요.

누가 당신을….

저는
아무것도 몰라요,
남작님.

......

두근

카일의 부하가
잘못 봤다고 했던
발테이어 저택의
레니아는

역시
대역 같은 게
아니었어.

대역이 고용된 적도 없고,
대역이 처리된 적도 없었어.

진짜
처리된 건⋯

뮤.

탁

아저씨한테
갈까요?

응.

최대한 빨리!

레너드 경은
오늘 노비스코샤로
출발한다고 했어.

수도에 있는
레니아가 가짜였다는 걸
빨리 알려야 해…!

레너드 경을
찾자, 뮤.

응!

뚜벅

어디 보자…
우선 2층
연구실로—

!!

페넬로페…?

쉿-

페넬로페, 저는 레너드 경을 만나러 왔어요.

대장께선 새벽에 출발하셨습니다.

…!!!

레너드 경은 언제쯤 노비스코샤에 도착할까요?

노비스코샤 수보국에 전화를 좀 해야겠는데요!

…대장께선
에드망으로
가셨습니다.

네…?

에드망으로요…?

어째서요…?

나한텐
분명…

"저는 곧 노비스코사로
출정을 갑니다."

……

…죄송합니다,
남작님…

Chapter

14

덜컹

덜컹

덜컹

덜컹

바울, 내가 말해놨던 건 구해왔나?

아, 예.

로시넬 장관의 일정표 말씀하시는 거죠?

그래… 잘했다.

칭찬받았다.

공식 스케줄이 꽤 빡빡하군…. 지난달 철도 마비 사건 때문인가.

우리 쪽에서도 수사할 시간은 확보했군.

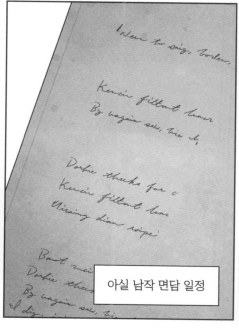

아실 남작 면담 일정

....

…걱정되는군.

?

페넬로페라면
잘할 겁니다.

페넬로페
얘기가 아니라…

…됐다.

앗…

그럼 혹시…
……

…대장.

설마, 혹시 진짜로
아실 남작님과
그렇고 그런
사이십니까?

그렇다면
뭐 어쩔 건데…

…!!!

어떻게
그런 일이?
말도 안 돼!

진짜예요?

페넬로페와
가장 친한 바울도
모르는 걸
보아하니

페넬로페가
녹취록의 내용을
어디에 발설하진
않았나 보군.

부정도
안 하시고!

근데 옷은 왜
갈아입으시는….

나는 중간에서
내린다.

네?

들키면 너까지
옷 벗을 테니,
처신 잘해.

적어도 어디로
가시는 건지는
알려주세요!

노비스코샤
광산 집단
실종 사건.

이 건은
내가 맡는다.

대장—

이러다가 걸리면 징계 정도가 아니고 진짜 잘려요—!

괜찮아.

다른 취직처도 찾았거든.

예?

어딘데요? 무슨 일인데요?

훗

집사.

어흑.

집사
보고 싶어.

아니, 아니야.

네 몸이 용과 너를
완전히 다른 객체로
인식하도록
연습해야 해.

스윽

네 마력과
용의 마력을
혼동하지 말고
구분해봐.

진짜
이 녀석이….

스캔들 때문에 레너드 경이 좌천됐다고요?! 스캔들이라니 대체 뭘 근거로…!

……!!

배에서의 녹취록을 제가 정리 중에 있었습니다.

녹취록엔 남작님과 대장님의 이상한… 대화가 기록되어 있었고요.

저는 녹취록을 원칙대로 관리했습니다만, 대장께선 로시넬 장관이 녹취록을 절도한 게 아닌지 의심하고 계십니다.

아드리안 그 누렁이가….

당신은 대체 누구십니까?

남작님.

그렇군요…
고마워요, 파니.

제가 당신께
대장의
메시지를 전하고,
당신을 돕는 이유는

당신이
선한 사람이라고
믿기 때문입니다.

정확히는
대장의 판단을
믿는 거지만….

남작님.

아드리안
로시넬을
조심하십시오.

대체
왜 이럴까?

아무리
존재감이 옅어도
그렇지,

이렇게
타인의 마력을
전부 흡수해버리는
사람은 흔치 않은데.

이거 지금
'너 대체 누구야?'
라는 뜻인 건가?

하하하….

175

다들 오늘 해야 할 일은 알고 있죠? 용의 마력을 최대한 오래, 많이 버틸 수 있는 재료를 선별할 거예요.

또 용의 마력이 각인자가 아닌 인간에게 주입되었을 때—

이렇게 도둑처럼 숨어들어서 조사하는 걸 언제까지 할 수 있을지….

끼익

오늘은 뭔가
발견해야 해….

'R'로 시작하는
단어와 관련이 있는
책이나 자료라면
뭐든지 좋아.

내가 예상하기로는,
R로 시작하는 단어 중
복제를 뜻하는 단어—

그건…

…찾았다.

〈복제품 설계 이론 – 기본 편〉

드디어
하나 찾았다…!

시간이 없어.
내용은 찍어
가야지.

찰칵

찰칵

찰칵

찰칵

책은 이게
다인가?

여긴… 전시실?
같은 건가.

'엘레오노라
컬렉션'…

Eleonora Collection

전부
엘레오노라가
만든 건가….

내가 아는 것도
몇 개 있네.

내가 이 세계에
적응하는 걸
도와줬던
편리한 물건들,

집에서, 거리에서
쉽게 볼 수 있는
그 물건들이
이렇게나 많이….

정말 천재가
맞긴 한가 봐.

25세에서
기록이 끊겨 있어
…….

이 텅 빈 관은
왜 준비해
둔 거지?

이 관은
미리 준비해둔 게
아니었군.

레플리카
프로젝트,

Replica Project
with A.R.

아드리안
로시넬과
함께한….

레플리카 프로젝트,
복제 인간에 대한
연구는 두 사람이
함께 진행하던
거였구나.

원래 이곳에
들어 있었을 설계도는
어디에 있을까.

찰칵

일단 이것도
찍어두자.

내가 가진 단서들을
레너드 경에게도
전해주고 싶지만

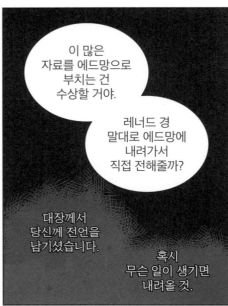

이 많은
자료를 에드망으로
부치는 건
수상할 거야.

레너드 경
말대로 에드망에
내려가서
직접 전해줄까?

대장께서
당신께 전언을
남기셨습니다.

혹시
무슨 일이 생기면
내려올 것.

아드리안도
곧 출장으로 자리를
비우니까 그때를
틈타면…

……

내려오라니,
에드망으로요?

그건 말씀
안 하셨습니다.

설마…

…….

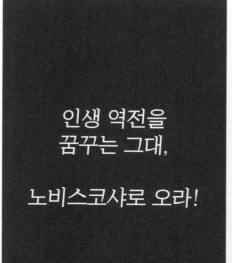

인생 역전을
꿈꾸는 그대,

노비스코샤로 오라!

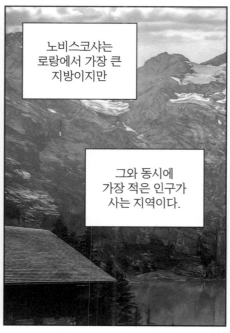

노비스코샤는
로랑에서 가장 큰
지방이지만

그와 동시에
가장 적은 인구가
사는 지역이다.

하지만 그 험준한
땅속에는
마광석이 대량으로
묻혀 있고

마광석뿐 아니라
철광과 보석 원석이
대량으로
발굴되기도 해서

로랑뿐 아니라
전 대륙적으로 유명한
광업 지방이었다.

광업은 많은 인력을
필요로 하는 업종이라,

주로 거대 자본을 가진
귀족들이 광산을
운영하고 있었다.

다만 유일하게,
중산층 출신 사업가가
삼대에 걸쳐 운영하고 있는
광산이 하나 있다.

노비스코샤
중심부에 있는
대규모 마광석 광산,

마오비아나다.

마오비아나?

덜컹

덜컹

거긴 요즘 흉흉한 소문이 도는 곳인데.

지난달부터인가?

거기서 광산 노예들이 집단 의문사한다는 소리가 있어요.

덜컹

그래서 광산주가 골머리 썩이고 있을걸요.

덜컹

그 사건 때문에 광부들 일당도 배로 올랐고요.

노예라는 말을 아직도 쓰나요?

그렇죠, 뭐.

진짜 신분이 노예는 아니지만, 그냥 광부들끼리는 스스로 그렇게 불러요.

아무튼 노비스코샤 수보국에서도 해결을 못 해서 수도에 도움을 요청했다는데,

아직 하나도 해결이 안 됐어요.

호오….

내 생각엔,

그 산에 괴물이 있는 거예요.

그것들이 광산 노예들을 잡아먹는 거라구!

그런데, 그쪽은 귀한 집 도련님 같은데.

마오비아나 같은 시골엔 웬일로 온 거예요?

취직하러 온 겁니다.

허어…

특이한 청년일세….

덜컹

덜컹

저, 아저씨.

응?

혹시 여기서
마오비아나까지
어떻게 가는지
아시나요?

호오….

광산주 컬튼 사무소.

무슨 일로
오셨습니까,
마담?

마오비아나
근처에 미개발 지역이
있나 해서요.

채광 사업을
해보려는데 컬튼 씨의
자문을 구하려고….

흠….

제가 알기론
마오비아나의
미개발 지역들은
대부분 채광 금지
구역입니다만…

우선 컬튼 씨께
말씀드려보죠.
성함이?

앗…

당선도 앞으론
선원을 대야 할 때엔
레너드 가의 이름을
대십시오.

선원 조회는
안 되겠지만,
사실 확인 요청은
레너드 가의 소관이니
문지없습니다.

191

노…

노아 레너드요.

……?

안 믿어주는 건가?

…실례지만, 며칠 전에 방문하셨던 신사분과는 무슨 관계십니까?

!

레너드 경이 왔었구나.

분명 예전에 레너드 경의 가명을 들은 적이…

데릭 레너드 씨. 그렇다면 이쪽 숙녀분께서는 레너드 부인이시겠군요.

맞네.

아, 아아.

데릭 레너드 경 말씀하시는 거죠?

예, 맞습니다.

제 남편이에요.

남편이 미리 말씀을 나눠 둔 모양이네요?

예, 예.
처음부터 말씀을
하시지!

그날 요청하셨던
자료들을
정리해두었습니다.

닷새 전에
방문하시고
지금까지 연락을
안 주셔서,

안 그래도 저희가
먼저 연락드릴까
했습니다.

연락
두절이라니….

무슨 일이라도
있냐?

우선, 들어가서
말씀 나누시죠.

컬튼 씨께 안내해
드리겠습니다.

마오비아나
광산의 지도와
채광 위치입니다.

마오비아나에서 나는
광물은 마광석이 90할,
구리가 8할….

도날리안 컬튼,
광산주.

저기,
저는 미개발 지역
채광 건으로
왔는데요.

새롭게 산맥을
파헤치는 것보단
이미 개발된 광산을
구입하시는 게
낫지요!!

그렇기야
하지만….

게다가,
마오비아나 뒤쪽의
산맥들은 지형이
험난해 채광하기
어렵기도 하고요,

주절

주절

마법부에서
몇 해 전에 채광을
금지한 구역입니다.

흠….

왜 이렇게
팔려고 안달이지?

삼대째 운영해온
마광석 광산인데.

역시
그 이유 때문에?

혹시 최근에
광산에
일어났다던…

실종 사건
때문인가요?

…….

......

사건이 처음
일어난 건…

지난달
초였습니다.

......

마오비아나는…
마담께서도
아시겠지만,

조금 특이한
구석이 있지요.

산맥 아래의,
측정할 수 없는
규모의
거대한 호수…

광산 밑으로
내려갈수록
지하 호수와
가까워집니다.

현재는 호수가
모습을 드러낼 만큼
파내려 간 상태죠.

비가 내리면
물이 넘치기도 하는데,
물을 퍼내는 펌프와
각종 안전 설비에도
공을 들였습니다.

덕분에
할아버님 세대부터
광부들이 목숨을
잃는 경우는
다섯 손가락 안에
꼽지요.

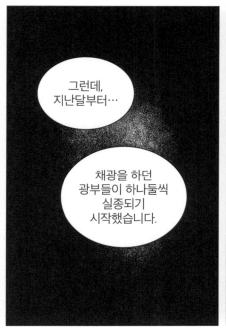

그런데,
지난달부터…

채광을 하던
광부들이 하나둘씩
실종되기
시작했습니다.

그들 중 몇몇은
광산 벽과 호수에서
시신으로
발견되었고요.

몇 명이나요?

지금까지 실종된
숫자는 마흔세 명,

발견된 시신은
열한 구입니다.

……

다른 광부들의
말에 따르면…

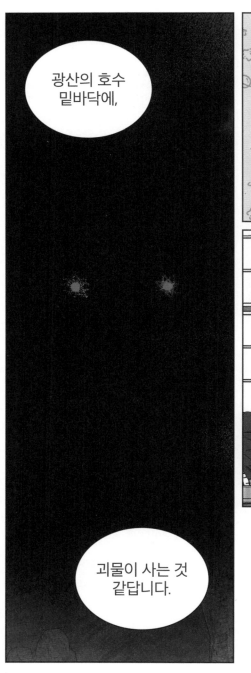

광산의 호수
밑바닥에,

괴물이 사는 것
같답니다.

괴물이요???

예….

갑자기
웬 괴물?

율렘이나 마법부의
끄나풀들이
엮여 있을 거라고
생각했는데….

현지인들끼리
믿는
헛소문인가?

허어…

아시잖습니까,

마오비아나는 로랑의 건국 이전에 용의 요람이 있던 곳으로 알려진 것….

그래서 마오비아나에서 유독 순도 높은 마광석이 난다고 하죠.

공작부인도 아시지요?

얼마 전, 로랑의 마녀가 용의 주인이 되었다는 거.

또끔

그 용의 부화 시기와 광부 실종 사건의 시작 시기가 얼추 맞물린단 말입니다.

용의 부화가 이 산맥에도 영향을 끼쳤다는 말인가?

그 영향으로 광산에서 실종 사건이 벌어지고 있고…

실종 사건과 마광석의 유출은 별개의 사건인 건가?

아무튼 부인, 깊숙히만 들어가지 않으면 안전합니다.

헤헤

현재는 최하층 부근엔 광부를 내려보내지 않아 실종 사건도 일어나지 않고 있고요.

그래서…

매입 예산은 어느 정도로 생각하고 계시는지…?

여기서 높게 부르면 호구다…!

가격은 원하시는 대로 최대한 맞춰 드리겠습니다.

엄청난 규모와 미래 가치를 생각했을 때 1,000만 파운드 선으로―

400만

예?

400만 파운드.

그, 그래도 마광석의 가치가―

400만.

······

그···

그래도···.

400만.

……!

……!!!!

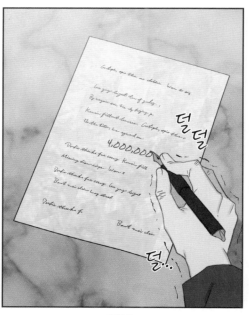

덜
덜

4,000,000

덜…

하아…

마담

지불 수단과
신분증은
갖고 계신 게
확실하죠…?

이건
신분증이고요.

그리고
수표 써드릴게요.

……?

에,

에,

엘레오노라
아실…?!

노아!

토도돗

뮤!

어땠어?
아저씨가 근처에
있는 것 같아?

아저씨는
없었어요.

절레

절레

근데 여기
신기해요.
정령들이
엄청 많아요!

정령?

네. 아직
얼굴은 못 봤어요.
너무 밑에 있어서.

그런데
반갑다고
말을 걸었어요!

노아도 귀를
기울이면
들을 수 있을 텐데!

정말?

곰곰…

조용—

잘 모르겠는데…
구속구 때문인가?

이잉···

오늘 광산
야간작업자
모집 중입니다~

할증 붙어서
일당이 무려
따따블!

뮤, 일단
여관으로 돌아가서
좀 쉴까?

내일 다시
조사해보자.

두리번

두리번

네!

이걸 타고
가면 되겠다.

덜컹

덜컹

이게 대체… 아까 탄 마차가 광산행 마차였다니…!!!

두리번

멀뚱

나가고 싶은데 누구한테 말해야 하는…

아유, 처음이신가 보네?

우리 같은 초보는 어차피 밑에 층엔 안 가니까 너무 겁내지 말어유.

싸늘

우르락

우르락 꾸꾸

애기는 안 다치게 조심해야겠구먼.

그— 그게 아니라 저는 나가고 싶은… 오해가 있었거든요…

깡깡 깡

거기 아가씨!

길목에서 꾸물거리지 말고,

빨리 짝을 지어서 아래로—

멈칫

어?

짝이 있었군?

그럼 됐어.

네?

......?

오랜만입니다.

레너드 경…!

저벅

경은 언제
도착했어요?

저벅

노비스코샤에
온 건
닷새 전쯤.

노아 양은 대체
왜 여기 온 겁니까?
광산이라니….

저벅

광산에 온 건
고의는
아니었는데…

어쩌다 보니
왔네요.

헤헤

저벅

저벅

어떻게 하면
'어쩌다 보니'
이런 곳에
오는 거지?

수도에
무슨 일이라도
있었습니까?

레니아.

수도에 있는 레니아는 가짜예요.

그 기계 인간과 똑같이 귀 뒤에 소문자 r이 새겨져 있었어요.

그리고 기계 인간 제작은 엘레오노라와 아드리안의 공동 연구였던 것 같아요.

제가 아드리안의 서고에서 증거를 발견했어요. 설계도 같은 세부 사항은 아드리안이 이미 치워둔 것 같지만….

위험한 짓을 하셨군요.

이럴 땐 그냥 칭찬해주시면 안 되나요?

여기가 최하층입니다.

우와….

물에서
빛이 나요…!

이 호수엔
마력이 깃들어 있어서
빛을 내는 것으로
알려져 있습니다.

이 호수에
괴물이….

괴물인지,
마광석을 빼돌리는
범죄자들인지는
더 살펴봐야
알게 되겠죠.

참방…

알 속으로
돌아온 것 같은
느낌이에요.

뮤,
기대해도 좋아.

잠시 뒤에
재밌는 걸
할 거니까.

근데 이런 데서
마광석을 어떻게
남들 몰래
빼돌려요?

바깥으로 나가려면
다시 엘리베이터를
타고 광산 입구를
가야 할 텐데.

밖으로 나가는
통로라면 여기
있지 않습니까.

네?

이
호수의 깊이는
알려져 있지
않습니다.

하지만 광산 바깥에
흐르는 강과
이어져 있다는
이야기는 있죠.

뮤, 이리 와.

꼬옥

노아 양, 수영할 줄 압니까?

야, 약간은?

서, 설마….

히익

물이 무섭다거나, 트라우마 같은 건?

딱히 트라우마는 없지만,

그치만…!

풍덩

꺄아아악——!!!

콩닥

콩닥

어서 들어오십시오.

묘, 묘는…?

묘는 여기에.

어?

......

풍덩

!!!

그럼,
괜찮을지도…

아,

아름다워요···.

산 밑에 있는 호수라기엔 밝고 따뜻하고···

바다 같아요.

천 년 전까지 용이 머물던 곳이라,

용의 마력 덕분에 특이한 환경이 조성됐나 봅니다.

반짝

반짝

이건 뭐지?

왜 나한테···.

말강

더듬

더듬

잘그락…

경, 목걸이가 조금 헐거워진 것 같아요.

중얼

용의 권능이 남아 있는 곳이라 그런가…

인간이 만든 물건은 쉽게 고장 나는 듯하네요.

꿀꺽…

너무 만지지 마십시오.

구속구가 부서지면 넌 또 전처럼,

정신 못 차리고 용의 의지대로 행동하게 될걸.

216

괜찮은 건가….

길을 알려주는 표시인가 봅니다.

다행히 허탕은 아니었군요.

여기에서 표식이 끊겼군….

뮤, 이 위로 올라가 볼래?

푸하아

재미있었니?

푸하

네!!

이것들은···
다 마광석인가?

노아 양,
너무 멀리 가지
마십시오.

네―

그냥 좀
보는 거예요.

철로가 있네.

여기서도 채광을
한 건가?

떨떨
떨떨
떨

?

이 소린···.

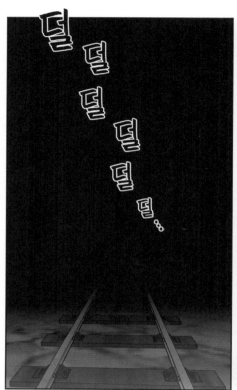

뭔가…

오고 있는
건가?

레너드 경,

여기 철로를
따라서 뭔가가—

!

Chapter

15

노아 양!?

노아 양, 대답하십시오!

박노아!

어디 있습니까!?

스윽

노아는 저기 있어요.

......!

중얼

깜짝 놀랐잖아,

중얼

중얼

옷도 더 더러워지고, 짜증 나게.

…….

…노아 양?

아.

오셨어요?

방금 전까지
젖어 있었는데
바싹 말랐어.

그리고
목걸이가…

없군.

뭐였어요?

뭐가 다가오는
것 같길래
돌아가려고 했는데,

뒤돌아보니 누가
날 덮치려고
하더라고.

옷을 보니
광산에서 일했던
사람 같기도 하고…

아, 아직
안 죽었나?

툭
툭

노아 양,

대체 이게…

어떻게 된 겁니까?

못 들었어요?

누가 절 덮치려고
하길래
죽인 건데.

안 죽은 것…
같지만.

……
아….

세일로에르의 힘이 담긴 둥지를 인간들이 자꾸 뜯어 가고 있어.

그래서 우리가 가뒀어.

몇 명은 빠져나가려다 죽었어.

뮤, 뭐 하는 거니?

페어리들의 말을 듣고 있어요.

페어리? 난 안 보이는데….

무슨 얘길 들었니?

용이 남긴 둥지를 인간들이 뜯어 가는 게 싫었나 봐요.

인간들을 잡아서 가뒀대요.

중얼 광부들이 죽은 건 율렘의 짓이 아니었단 말인가….

놀랍군.

게다가 페어리라니.

기록으로만 접했는데.

살랑..

특이한 인간이야.

지금은 오히려 네가 용에게 물들고 있잖아.

용이 인간의 권속이 되어야 하는데,

으…

다른 광부들이 갇혀 있는 곳은 저쪽인가 보군….

노아 양, 치료가 끝났다면 따라오십시오.

네.

영혼과 육신의 결속이 형편없으니 이렇게 되지.

…그건 나도 알아.

이 몸의 주인이 내가 아닌 걸 나더러 어떡하라구.

왜 네 몸으로 돌아가지 않는 건데?

내 원래 몸은
이미 죽었거든.

무슨 소리야?

몸에서 잠깐
떨어져 나와 있을
뿐이잖아.

네 육신이
죽었다면,

너는 기억과
자아를 모두 잃고
사라져
버렸을걸.

뭐…?

결속이 약하긴
하지만, 그래도
잘 살아 있는 거
보면…

이 몸의
주인도 완전히
죽어버린 건
아닌 것 같은데.

…난 죽은 뒤에
죽어 있는 내 몸을
발견했다.

그리고 넓고 검은
공간에서 한참 헤매다가
이곳으로 온 건데…

내 몸이 숨을
쉬고 있는지는

확인하지 않았어….

마침 딱 같은 상황이었던 인간의 빈 육신을 찾아내서 거기에 들어가다니.

특이한 경우네.

그럼…

그럼 내 몸을,

다시 찾아올 수 있다는 얘기야…?

서둘러야 할 거야.

서로 다른 세계를 잇는 통로들은 항상 열려 있는 게 아니니까.

일단 네 일행을 따라 요람으로 가.

이곳에서 일어나는 모든 기이한 현상은 전부 요람과 관련되어 있으니까.

와⋯

여기가, 용의 요람⋯.

전에 뮤가
알 속에서 봤다고
했던 것도 비슷한
풍경일까.

아름답다.

이 길이 맞니?

응.

페어리들이
이 길 아래에
사람들을
가둬놨대요.

노아 양,
뒤에서 대화를
하는 것 같던데.

무슨 얘길
한 겁니까?

아, 그게…

…….

…경은,

제 겉모습이
바뀌어도

지금처럼
대해주실
건가요?

예?

…설마.

제 원래 몸을
되찾을 수도
있다나 봐요.

운이 좋아야
가능하겠지만.

…….

노아 양이
원래의 몸으로
돌아간다면,

아저씨!
저기 사람들이
있어요.

나는 과연…

그러니까,
광산주가 언제부턴가
마오비아나 뒤편
미개발 지역 일부를
채광하라 명령했다.

한 달에 한 번
절벽 길을 타고
올라오는 딜러가
있고,

당신들은 여기서
채광한 광물을
그 딜러에게 넘기는
역할이었다.

미개발 지역에서
채광한 마광석은
장부에 기록하지
말게 했다.

이때 대금을 받아
광산주에게 대금을
넘겼다….

광산주라는 건…
컬튼 씨 말하는 거
맞죠?

맞습니다.

처음 거래를
시작한 건
언제쯤입니까?

제가
알기로는…
어디 보자,

2년… 아니,
2년 반쯤
됐습니다.

사람들이 납치되기
시작한 지는 한 달
반쯤 됐습니다.

딱 그때부터
작업자 일당이
두세 배로 뛰었죠.

그간 몇 명은
여기서 굶어 죽거나,
얼어 죽었어요.

2년
반이라니….

엘레오노라 아실과
아드리안 로시넬이
갈라선 시기가
그때쯤이죠.

그 둘이 갈라서고
엘레오노라 아실이
죽음을 당한 원인은―

공동 연구 도중
두 사람 간에
갈등이라는 거죠?

예. 확실한 건
아니지만.

딜러들은 마광석을 어디로 가져갔습니까?

지금은 사용하지 않지만, 몇십 년 전까진 타우렌으로 향했던 철도죠.

절벽을 내려가는 길은 한 개뿐입니다.

길 따라 걷다 보면 기차 연료를 채우기 위해 만들어진 간이역이 하나 있습니다.

딜러와 약속이 있던 날엔 간이역 쪽에서 검은 연기가 피어오르더군요.

폐쇄된 간이역을 통해서 마광석을 옮겼다….

딜러는 보통 몇 명이서 방문했습니까?

많아야 세 명 정돕니다.

율렘일까요?

그럴 수도 있죠.

적어도 지금까지 우리가 상대한 이들은 전부 율렘이었으니.

히… 히익.

율렘….

마광석처럼 악용의 소지가 다분한 물건을

2년간 최소 스물네 번에 걸쳐 상당량을 빼돌렸다는 게 알려지면 광산을 압류당하는 걸론 턱도 없고,

……?

에드망행 기차 테러 사건이 율렘의 소행이라는 게 보도됐으니…

아마 광산주는 그걸 보고 손을 떼려 했을 겁니다.

자칫하면 교도소에서 몇 십 년 썩을 수도 있으니까.

뻘뻘

앗…

……

음…

음?

대체 무슨 생각으로 광산을 매입한 겁니까? 당신이 사고를 칠 때마다 제가 수습해야 하는 일이 얼마나 많아지는지 압니까?

시무룩

죄송해요…….

제, 제가 할 수 있는 일이 있다면 뭐든 할 테니까….

하아…

됐습니다.

당신은 그보다 먼저 해야 할 일이 있지 않습니까.

…!

…….

그, 그렇죠….

혼자 가는 게 무섭다면 같이 가드릴 수도 있습니다만…

절레

절레

아, 아니에요!

괜찮아요.

그렇습니까….

얼마나 걸릴 것 같습니까?

저는 제 할 일을 하는 데에 하루하고 반나절. 그 정도 걸릴 겁니다.

하루하고 반나절…

저는 잘 모르겠는데, 우선 이틀 안으로 돌아와 볼게요.

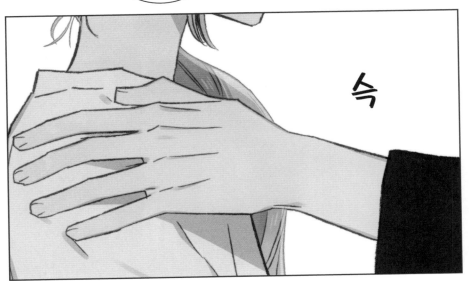

슥

위험해질 것 같으면 일단 돌아오십시오.

목숨과 안전이 최우선입니다.

여기가 세계를 잇는

통로…!

이제 왔구나.

아!
아까 본…

저기, 나는
어디로 가면
될까?

그냥 발 닿는
곳으로 가보면
어때?

네 고향이니까,
너를
끌어당길 거야.

부모님은
남동생한테만
관심이 있었고,

내가 대학에 잘 가면,
좋은 직장에 가면
부모님이 날
사랑해줄 거라고
착각해선

친구나 취미는
전부 뒷전으로 하고

인정받으려 일에
매달렸는데
나는 그냥 회사에서
쓰고 버리는
소모품 같은 거였고….

대체 누구한테
인정받으려고
그랬는지….

반짝…

스윽

정말…

빵빵-

돌아왔네.

용의 마력
때문인가?

오랫동안
누워 있었을 텐데,
몸이 팔팔해.

오오…

달칵…

어?

깜짝

멈칫

어???

249

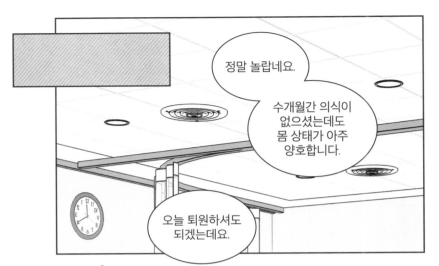

정말 놀랍네요.

수개월간 의식이 없으셨는데도 몸 상태가 아주 양호합니다.

오늘 퇴원하셔도 되겠는데요.

…우리 집으로 가자. 네 자취방은 이미 뺐어.

방은… 일단 서준이 방 써라.

따히 연락할 사람이…

없네.

진짜 원래대로 돌아왔어….

여기서 안 돌아가면 그냥 이대로 쭉 살게 되는 건가.

익숙한 곳에서, 익숙한 방식으로….

암살자들한테 목숨을 위협받거나

달리는 기차 위를 기어가야 되는 일도 없고

범죄자로 몰려서 재판을 받을 필요도 없고

깔끔 떠는 집사님한테 잔소리를 들을 필요도….

위험해질 것 같으면, 일단 돌아오십시오.

뮤.

거기 있지?

반짝

뮤는 아저씨가
보고 싶어?

아니면 여기서
살고 싶어?

온전히 내 선택,
이라는 건가….

저는 노아가
행복하다면
어디든 좋아요.

부스럭
부스럭

너 어디 가?

네.

…….

가출하려는 거
아니지?

…안 찾으셔도
돼요.

저는 앞으로
건강하고,
행복할 거예요.

뮤,
먹고 싶은 거나
갖고 싶은 거
다 골라!

와~

마지막으로
저축해둔 돈 좀
쓰고 가려고
했는데

막상 와보니
딱히 사고 싶은
것도 없고….

초롱

초롱

뮤
장난감이나 많이
사줘야겠다.

어디 보자…

두리번

……!

저게 좋겠다.

조용..

하아…

무슨 일이 있는 건 아니겠지?

몸을 되찾는 데에 실패했나?

엉뚱한 곳을 헤매고 있는 건 아니겠지.

벌써 사흘째인데.

아직 안 온 것 같군….

중얼

아니, 어쩌면…

다시 돌아오지 않을지도….

중얼

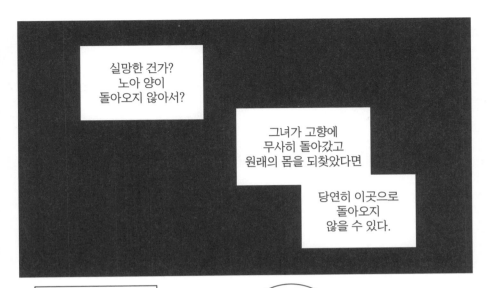

실망한 건가?
노아 양이
돌아오지 않아서?

그녀가 고향에
무사히 돌아갔고
원래의 몸을 되찾았다면

당연히 이곳으로
돌아오지
않을 수 있다.

노아 양은
돌아오겠다고 했지만,

만난 지 몇 개월밖에
안 된 남자와의
약속 따윈….

꼴사납군….

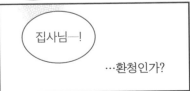

집사님―!

…환청인가?

집사님―!

퍼뜩

!

257

아,
아저씨
찾았다!

반
짝

집사님!

......!

노,

노아 양?

헤헤

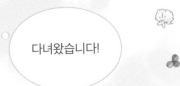

다녀왔습니다!

흑막 용을 키우게 되었다 3

초판1쇄 인쇄 2023년 11월 7일
초판1쇄 발행 2023년 11월 24일

글 · 그림 소탄
원작 달슬
펴낸이 정은선

책임편집 이은지
표지 디자인 우물
본문 디자인 (주)디자인프린웍스

펴낸곳 (주)오렌지디
출판등록 제2020-000013호
주소 서울특별시 강남구 선릉로 428
전화 02-6196-0380 **팩스** 02-6499-0323

ISBN 979-11-7095-087-5 07810
　　　 979-11-7095-084-4 07810 (set)

ⓒ 소탄(원작:달슬), 2023

* 잘못 만들어진 책은 서점에서 바꿔드립니다.
* 이 책의 전부 또는 일부 내용을 재사용하려면 사전에 저작권자와
(주)오렌지디의 동의를 받아야 합니다.

www.oranged.co.kr